6/96

TOP SECRET

AUX COULEURS DU MONDE
conseiller éditorial : La Joie par les Livres

TOP SECRET

Helen Huckle

Adaptation de l'américain par Pierre Bonhomme

circonflexe

A Adam et Jennifer

Titre original : The Secret Code Book
Copyright © 1995 by Breslich & Foss, London
© 1995, Circonflexe pour l'édition en langue française
ISBN 2-87833-163-X
Imprimé en Espagne. Dépôt légal : octobre 1995
Loi n° 49-956 du 16 juillet 1949
sur les publications destinées à la jeunesse

SOMMAIRE

HEP ! VEUX-TU DEVENIR AGENT SECRET ?

Au Vème siècle avant Jésus-Christ, un roi athénien avait fait tondre un esclave et tatouer un message sur son crâne. Lorsque les cheveux de l'esclave eurent repoussé, le roi l'envoya porter ce message à son destinataire avec ce mot : «Tondez cet homme !»

Aux Etats-Unis, pendant la guerre d'Indépendance, un traître nommé Benedict Arnold vendait des secrets militaires aux Anglais. Il envoyait des renseignements en utilisant un système de nombres et de mots dispersés dans un dictionnaire ordinaire.

Au XIXème siècle, des Russes emprisonnés pour leurs opinions politiques communiquaient entre eux et se transmettaient des messages secrets en frappant sur les murs de leurs cellules.

Avec *Top secret*, tu vas pouvoir rejoindre les rangs de ceux qui ont vécu une vie pleine d'aventures, de mystères et d'intrigues. Tu y trouveras une grande variété de codes astucieux, passionnants, déroutants, qui tous ont été utilisés au cours des siècles pour envoyer des messages importants mais confidentiels.

Ces codes, qui te demanderont beaucoup d'imagination, sont faciles à apprendre grâce aux explications détaillées du livre. Tu connaîtras ainsi la façon d'envoyer des messages à l'aide d'éclats lumineux ou en agitant des drapeaux, la manière de cacher d'autres messages dans des lettres ou des notes d'aspect courant.

Tu découvriras des langages écrits si anciens qu'ils renferment autant de secrets qu'un code, et des langages parlés tel le javanais, qui sont vraiment très simples mais difficiles à comprendre pour qui n'en connaît pas les règles !

Top secret te permettra aussi bien de coder le message secret que tu veux envoyer, que de déchiffrer ou décoder le message caché que tu auras reçu. Tu trouveras à la fin du livre une liste de solutions avec laquelle tu pourras vérifier tes réponses.

Top secret réserve bien des surprises (la couverture elle-même comporte un message codé dont la traduction est cachée dans ce livre). Alors, mets ton imperméable et tes lunettes noires d'agent secret et tiens-toi prêt...

LES CODES SECRETS DE SPARTE

Au Vème siècle avant Jésus-Christ, l'armée de Sparte, en Grèce, utilisait une méthode spéciale pour l'envoi de ses messages secrets : il s'agissait d'un dispositif appelé scytale.

Le scytale était un cylindre de bois. Celui qui voulait envoyer un message prenait une bande de parchemin longue et étroite et l'enroulait autour de ce cylindre. Il écrivait ensuite le message sur la bande, en largeur, comme on le voit figure 3. Une fois la bande déroulée, le message devenait une suite de lettres éparpillées sans aucune signification. A réception, son destinataire le déchiffrait en l'enroulant, à son tour, sur un scytale de même forme et de même dimension. Si l'ennemi s'emparait du message, il ne pouvait le déchiffrer, n'ayant pas le bon cylindre.

Voici quelques conseils pour faire ton propre scytale. Avant de commencer, assure-toi que tu as deux cylindres de la même taille : cela peut être deux morceaux de manche à balai ou deux tubes de papier de toilette. Fais-en parvenir un à ton destinataire avant de lui envoyer le message.

COMMENT FABRIQUER TON PROPRE SCYTALE

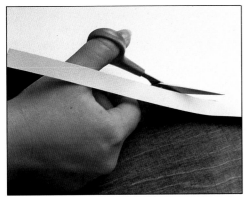

1. Découpe une étroite bande de papier (d'environ 1,5 cm de large). Elle doit pouvoir faire au moins six tours autour du tube.

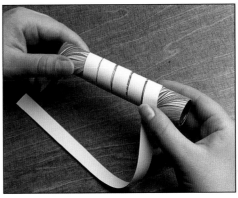

2. Enroule soigneusement la bande de papier sur le tube.

3. Ecris ton message sur toute la largeur du tube. Complète les espaces libres, s'il y en a, avec des lettres sans valeur (habituellement des X ou des Z).

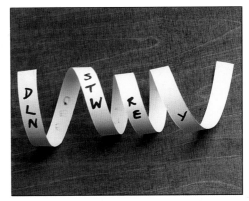

4. Déroule maintenant ton message et envoie-le.

LE CODE CASE-COCHON

Au XVIème siècle, une société secrète de francs-maçons a employé les grilles suivantes pour coder ses messages :

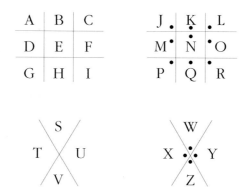

Ce code est connu sous le nom de code case-cochon, parce que les lettres de l'alphabet — les «cochons» — sont enfermées dans des lignes — les «cases». Les formes de ces «cases», avec ou sans point, représentent les lettres qui sont à l'intérieur. Par exemple :

⌋ = A, ⌊⌋ = B, •⌋ = J et ⌊•⌋ = K

⌊ ⌋V◻ ⌊•⌊⌈•• = CASE-COCHON

Saurais-tu écrire ce qui suit en case-cochon ?

LES BILLETS SONT A LA BANQUE
ATTENDONS TES ORDRES

Et pourrais-tu déchiffrer ce message caché ?

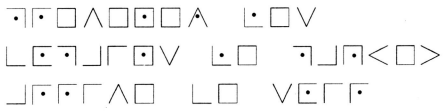

LA LETTRE EST DANS LA LETTRE

L is la lettre de la page suivante : elle ressemble à une lettre tout à fait ordinaire. Mais si tu notes la première lettre de chaque phrase, tu pourras lire un message. Lequel ?

Ce genre de code est appelé code ouvert, car le texte semble ne rien avoir à cacher. Au contraire, les codes apparents feront tout de suite penser que tu veux cacher quelque chose. Les codes ouverts ont été largement utilisés pendant la Seconde Guerre mondiale. Des messages d'aspect innocent étaient fréquemment diffusés par la radio. En réalité, ils donnaient ordre aux soldats ou aux agents de l'ombre de mettre les plans secrets à exécution.

Par exemple, en diffusant vers la France la phrase «Il fait chaud à Suez», la BBC (la radio de Londres) demandait à la Résistance française de commencer à saboter les voies ferrées.

Pages 36 et 39, tu trouveras un autre type de code ouvert.

Cher Julien,

Je suis désolé de ne pas t'avoir écrit plus tôt.
En effet, j'ai été malade pendant une semaine au
moins. Sans doute aurais-je dû te téléphoner,
mais j'avais vraiment trop de fièvre. Une mauvaise
grippe. Imagine le nombre de comprimés d'aspirine
que j'ai pu avaler ! Si tu voyais ma mine
aujourd'hui encore, tu n'en reviendrais pas.
Alors mieux vaut parler d'autre chose.
Rappelle-toi, par exemple, notre descente de
rivière en kayak l'été dernier : c'était génial.
Rien que d'y penser, je me sens guéri. Il n'y a
rien de mieux décidément que les vacances. Vois-
tu, je crois même qu'elles ne devraient jamais
finir ! Evidemment, il n'en est rien.
Henri est revenu hier de son séjour à Londres.
Il m'en a rapporté un tas de choses, dont un
tee-shirt absolument extravagant. Et pourtant je
lui avais bien recommandé de ne pas faire de
folies. Réponds-moi dès que tu auras cinq minutes
à perdre, le plus tôt possible, j'espère.

Sylvain

LE CARRÉ DE POLYBE

L es soldats romains avaient une méthode astucieuse pour envoyer de nuit des messages secrets sur de longues distances. Un Grec nommé Polybe, qui travaillait pour les Romains, avait inventé un système de signaux à l'aide de torches enflammées. Il avait dessiné une grille de 25 cases, chaque case contenant une lettre de l'alphabet (l'alphabet romain ne comptait que 25 lettres, alors que le nôtre en a 26 : c'est pourquoi les lettres I et J partageront la même case). Il avait numéroté les colonnes verticales et les rangées horizontales comme ceci :

	1	2	3	4	5
1	A	B	C	D	E
2	F	G	H	IJ	K
3	L	M	N	O	P
4	Q	R	S	T	U
5	V	W	X	Y	Z

C'est un exemple de chiffrage de substitution (voir page 55). Chaque lettre est définie par deux chiffres : d'abord celui de la rangée horizontale dans laquelle elle se trouve, ensuite celui de la colonne verticale où elle figure aussi. Par exemple, la lettre A sera définie par 1,1; la lettre F deviendra 2,1 et la lettre P 3,5.

Pour envoyer tes signaux, il te faudra deux lampes torches, une dans chaque main. Tu donneras le nombre d'éclairs nécessaires pour chaque lettre, par exemple un éclair de la main droite et un de la main gauche pour la lettre A. Pour P, envoie trois éclairs de la torche droite et cinq de la gauche. Laisse un petit intervalle entre chaque lettre pour éviter les erreurs. Ton correspondant devra également avoir deux lampes torches pour répondre. Exerce-toi d'abord à chiffrer et déchiffrer les lettres sur la grille. Par exemple, pour déchiffrer 4,3, cherche l'endroit où la rangée 4 croise la colonne 3 : c'est la lettre S.

A toi maintenant de chiffrer ce message :
AS-TU DES NOUVELLES ?

Tu vas pouvoir aussi déchiffrer le message suivant. Les mots y sont séparés par une barre / et les phrases par deux barres //. Si tu rayes chaque paire de chiffres après l'avoir déchiffrée, ce sera plus commode pour toi.

3,3 1,1 5,1 2,4 4,2 1,5 4,3 / 1,5 3,3 3,3 1,5 3,2 2,4 4,3 /
1,5 3,3 / 5,1 4,5 1,5 // 3,5 4,2 1,5 3,5 1,1 4,2 1,5 5,5 /
5,1 3,4 4,5 4,3 / 1,1 4,5 / 1,3 3,4 3,2 1,2 1,1 4,4 //

LES SECRETS DE CÉSAR

Le conquérant romain Jules César employait un système de substitution (voir page 55) très simple pour envoyer ses messages secrets. Il remplaçait chaque lettre par la troisième lettre suivante de l'alphabet, soit a = d, b = e, c = f, et ainsi de suite.

Pour utiliser cette méthode, écris d'abord l'alphabet en clair, puis l'alphabet chiffré, comme ceci :

(en clair)

A B C D E F G H I J K L M N O P Q R S T U V W X Y Z
D E F G H I J K L M N O P Q R S T U V W X Y Z A B C

(chiffré)

Par exemple, la célèbre déclaration de Jules César «Veni, vidi, vici», qui en latin signifie «Je suis venu, j'ai vu, j'ai vaincu», s'écrirait en langage chiffré YHQL, YLGL, YLFL.

Emploie maintenant l'alphabet de César pour coder ce message :

CESAR SE DIRIGE VERS LE SENAT

Et maintenant déchiffre celui-ci :

FDFKH WRQ SRLJQDUG GDQV WD WRJH PDLV SUHSDUH WRL D IUDSSHU TXDQG MH GRQQHUDL OH VLJQDO

Page de droite : lorsque les ennemis de César estimèrent qu'il devenait trop puissant, ils décidèrent en secret de le tuer. L'illustration représente son assassinat au Sénat.

L'ÉCRITURE ZIGZAG

Regarde les deux lignes de lettres ci-dessous. On dirait qu'elles n'ont aucun sens.

R   N   O   T   E   E   O   R

E   C   N   R   C   S   I

Maintenant tu vas les relier par une ligne en zigzag comme cela :

R N O T E E O R
  E C N R C S I

Le message a été écrit en zigzag : la première lettre en haut, la deuxième en bas, la troisième en haut, et ainsi de suite. Lorsque tu réunis ces lettres sur une seule ligne, tu peux lire le message :
RENCONTRE CE SOIR.

On écrit un message zigzag en alternant les lettres entre la ligne du haut et celle du bas, comme dans l'exemple précédent. On rapproche ensuite les lettres de la ligne du haut pour faire croire qu'il s'agit d'un seul mot. On en fait autant pour la ligne du bas et on place un trait d'union entre ces deux mots. On obtient ainsi le message :
RNOTEEOR - ECNRCSI

Regarde maintenant la couverture du livre : les lettres mélangées qui en forment le fond sont en réalité un message zigzag (qui est reproduit de façon plus lisible au dos du livre). Ce message est le suivant : «Tous les codes de ce livre ont existé. Ils ont été utilisés par beaucoup d'agents secrets et d'espions. Ces codes ont permis d'éviter des désastres. Ils ont sauvé des vies, évité des guerres. Il a fallu des années pour les inventer. Mais il sont faciles à apprendre et très amusants.»

A ton tour, pourrais-tu transformer le message suivant en code zigzag ?
ARRIVERAI SAMEDI
REJOINS-MOI SUR LE QUAI

Exerce-toi maintenant à déchiffrer ces messages (pour que ce soit plus facile, écris les lettres de la deuxième ligne sous celles de la première en les décalant un peu vers la droite) :
PREEVTMNSOBE - OTDSEEETSMRS
LSLNSNDNLCGODRNE - EPASOTASEAETOAGS

ESPIONS ET TRÉSORS ENFOUIS

A l'époque de la guerre d'Indépendance américaine, Benedict Arnold (1741-1801), dont tu vois ici le portrait, était directeur de l'Académie militaire américaine de West Point. C'était un traître, qui proposa aux Anglais de leur livrer l'Académie. Pour cela, il leur adressa un message codé à l'aide d'un dictionnaire (voir page 22).

Tu peux toi aussi employer n'importe quel livre pour coder tes messages : prends celui que tu as choisi et parcours-le jusqu'à ce que tu aies trouvé tous les mots de ton message. Note pour chaque mot le numéro de la page, puis le numéro de la ligne (titre exclu) et enfin la position du mot sur la ligne. Par exemple, si c'est le neuvième mot de la ligne 15 de la page 30, le code sera : 30.15.9. Bien sûr, tu devras, entre-temps, t'assurer que celui ou celle qui doit déchiffrer le message possède exactement le même livre que toi. Un livre de classe, pourquoi pas ?

Avec *Top secret*, décode le message suivant :
24.2.4 / 32.19.1 / 6.11.4 / 34.8.5 / 12.6.9 / 22.5.1 / 45.22.2 / 13.13.4 / 16.2.5 / 55.18.2

Dans des collines situées à quelque quatre cents kilomètres au nord de Santa Fe — ville du Nouveau-Mexique, aux Etats-Unis — vivait en 1817 un prospecteur d'or et d'argent nommé Thomas Beale. Lui-même utilisa un code semblable à celui employé par Benedict Arnold. Voici comment.

Après dix-huit mois de prospection, il avait amassé une fortune qu'il rapporta chez lui en Virginie et qu'il cacha dans la région. Il retourna ensuite dans l'Ouest mais n'en revint jamais. Avant de partir, il avait confié une boîte fermée à clé à un aubergiste local, Robert Morris. Il lui avait fait promettre de ne l'ouvrir qu'au bout de dix ans d'absence. Morris attendit plus de vingt ans avant de faire sauter la serrure. A l'intérieur il découvrit une lettre, dans laquelle Beale expliquait comment il avait trouvé son trésor, et trois cryptogrammes. La lettre précisait que Morris recevrait un jour la clé des cryptogrammes, mais celle-ci n'arriva jamais.

On parvint à déchiffrer le cryptogramme n° 2. Il décrivait le trésor, expliquait quand et comment Beale l'avait caché, mais il ne disait pas où il était enfoui. Le message se terminait par ces mots : «... le document n° 1 décrit l'emplacement exact du souterrain.» Le cryptogramme n° 2 utilisait comme clé le texte de la Déclaration d'Indépendance américaine, dont Beale avait numéroté les mots de 1 à 1332. Il suffisait de prendre la première lettre de chacun des mots dont le numéro figurait sur le message. On essaya de déchiffrer de la même manière les autres cryptogrammes, mais en vain. Depuis, beaucoup de gens ont cherché à les décoder à l'aide de livres bien connus, comme la Bible ou les œuvres de Shakespeare, mais personne n'y a jamais réussi.

Ce code fut également employé en France. C'est ainsi que le général Merle, durant les campagnes napoléoniennes, dut correspondre, sur instruction du maréchal Soult, avec le major général de l'armée par message codé à partir d'une brochure.

LE JAVANAIS

Il existe énormément de langages codés que tu peux utiliser avec tes amis. Le verlan en est un exemple particulièrement répandu. L'un des plus faciles à apprendre est le javanais. Il s'agit d'une forme d'argot, apparue en 1857, qui consiste à intercaler dans les mots les syllabes -AV- ou -VA- de manière à les rendre incompréhensibles pour les non-initiés. Ainsi BONJOUR se dit BAVONJAVOUR, CHAUSSURE, CHAVAUS-SAVURAVE, VOITURE, VAVOITAVURAVE.

Essaie de traduire cette phrase en javanais :

JE NE SERAI PAS LA DEMAIN, JE PARS EN VACANCES

Et maintenant rétablis cette phrase en français :

RAVENDAVEZ-VAVOUS AVAU CAVOIN DAVE LAVA RAVUE AVA TRAVOIS HAVEURES AVET DAVEMAVIE, NAVE SAVOIS PAVAS AVEN RAVETAVARD

QUAND UNE LANGUE DEVIENT UN CODE

N ous pensons habituellement que, s'il y a un code, il y a aussi quelque chose de secret, mais ce n'est pas toujours le cas. Certaines langues anciennes sont ainsi devenues des codes secrets parce que plus personne ne peut les comprendre.

Regarde les pages de garde de ce livre (au début et à la fin). Les symboles que tu y vois s'appellent des hiéroglyphes. Ces hiéroglyphes sont des signes ou des lettres utilisés par l'écriture égyptienne ancienne. Ils ne furent plus employés dès le IVème siècle avant Jésus-Christ et ils restèrent une grande énigme jusqu'à la découverte de la pierre de Rosette en 1799. Sur cette pierre

figuraient diverses écritures gravées, dont des hiéroglyphes et une écriture grecque antique. Les chercheurs découvrirent qu'elles concernaient le même texte et purent donc les traduire. Ce fut Champollion qui réussit le premier à déchiffrer les hiéroglyphes, représentations d'objets, de personnes et d'animaux familiers aux anciens Egyptiens. Vingt-quatre de ces signes correspondaient à des sons de leur langue. Quelques-uns d'entre eux sont représentés sur la page de droite.

A gauche : des hiéroglyphes datant approximativement de 1310 avant Jésus-Christ. Le personnage assis est Osiris, le dieu du Royaume des Morts.

 Le Vautour = A

 Le Roseau = I

 Le Pied = B

 La Natte = P

 La Chouette = M

 L'Eau = N

 La Bouche = R

 Le Linge plié = S

 Le Panier à anse = K

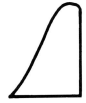 La Colline = Q

 Le Pain = T

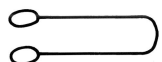 Le Cordage = Tch

 La Main = D

 Le Serpent = Dj

Par ailleurs, il existait des signes qui représentaient une combinaison de sons, dont beaucoup étaient des mots de la langue égyptienne de l'époque. Par exemple :

 = P + R, prononcé «per» et signifiant «maison».

Une autre famille de signes, appelés «idéogrammes», rappelait la forme d'objets.

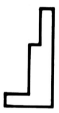 C'est ainsi que ce dessin de chaise représentait le mot «chaise».

Quant à ces hiéroglyphes, ils désignaient des nombres :

 Trait seul = 1

 Corde pour le bétail = 10

 Rouleau de corde = 100

 Plante de lotus = 1.000

Doigt = 10.000

 Personnage levant les bras = 1.000.000

Tous les autres nombres s'écrivaient en combinant ces signes, et l'on commençait toujours par le nombre du rang le plus haut que l'on plaçait à gauche du nombre le plus faible. Ainsi 11 s'écrivait ∩ |

En outre, un même nombre pouvait occuper deux lignes. Par exemple, 22 s'écrivait ∩ |
∩ |

Dans le cas des hiéroglyphes figurant des nombres impairs, qui ne peuvent donc être séparés en deux parties égales, on écrivait la partie la plus grande sur la ligne du haut. Ainsi 35 s'écrivait ∩ ∩ | | |
∩ | |

10 chaises  et 100 maisons

Selon ces principes, tu peux inventer tes propres hiéroglyphes. Par exemple :

une chaise et un bureau signifieraient «école»

 une raquette et une balle voudraient dire «tennis».

LE MORSE

Le code morse n'est pas un code secret. Il a été mis au point au XIXème siècle par l'Américain Samuel Morse, qui est aussi l'inventeur du télégraphe électrique. S. Morse avait imaginé un système de points (·) et de tirets (—) pour envoyer rapidement des messages par le télégraphe. Il alla d'abord voir l'imprimerie d'un journal pour connaître les lettres de l'alphabet qui sont les plus fréquentes. Il voulait que les signaux correspondant à ces lettres soient courts pour être envoyés plus rapidement. Dans la langue anglaise, la lettre E est la plus fréquente (comme en français d'ailleurs), suivie de T, puis de A, I, O et S, et enfin de H. Si tu regardes la table de la page voisine, tu constateras qu'à ces lettres correspondent effectivement les signaux les plus simples.

A gauche : Samuel Morse devant son transmetteur de codes.

A	.—	S	...
B	—...	T	—
C	—.—.	U	..—
D	—..	V	...—
E	.	W	.——
F	..—.	X	—..—
G	——.	Y	—.——
H	....	Z	——..
I	..	1	.————
J	.———	2	..———
K	—.—	3	...——
L	.—..	4	....—
M	——	5	....
N	—.	6	—....
O	———	7	——...
P	.——.	8	———..
Q	——.—	9	————.
R	.—.	0	—————

A droite : un opérateur de télégraphe
transmet un message en morse
à bord d'un navire.

Le code morse le plus connu est le message SOS, que l'on envoie quand on a besoin d'aide : ... ——— ...

Tu peux transmettre le morse de différentes façons. A l'origine, les messages consistaient en une série de sons longs et courts transmis par les fils du télégraphe, mais tu peux faire la même chose avec un vibreur ou une sonnette électrique. Le point est traduit par un son très court, le tiret doit avoir une durée triple de celle du point. L'espace entre deux lettres doit aussi avoir trois fois la durée du point.

Ci-dessus : au moment où le paquebot Titanic sombrait, le message suivant a été envoyé en morse par radio : «Nous coulons rapidement, les passagers sont mis dans les canots.» Sur la ligne du dessus, on peut lire «SOS, SOS, CQD, CQD». En effet, le signal de détresse CQD («Come Quick, Danger», soit «Venez vite, danger») était en usage avant l'emploi du message SOS («Save Our Souls», soit «Sauvez nos âmes») introduit en 1906. Comme les Américains employaient encore CQD en 1912, au moment du naufrage du Titanic, l'opérateur radio à bord a envoyé les deux.

Tu pourrais enregistrer ton message en morse sur une cassette et l'envoyer à un ami pour qu'il le déchiffre. De même, tu peux faire des éclairs avec une lampe de poche, courts pour les points, plus longs pour les tirets.

Entraîne-toi en envoyant ce message :
OU ALLONS-NOUS ?

Essaie ensuite de déchiffrer celui-ci :

— ··   ·   —   ·—·   ··—   ··   ···   ·—··   ·   ···
— ··   ———   —·—·   ··—   ——   ·   —·   —   ···

Très vite le code morse est devenu d'usage courant. Cependant, comme les coûts de transmission sont élevés, on a utilisé des groupes de lettres pour raccourcir les messages. Par exemple le code ACME, en usage dans les années 1920, employait des abréviations telles que NARVO (= ne vous séparez pas des documents) ou ARPUK (= cet homme est un aventurier, évitez-le), ou même PYTUO (= nous avons touché un iceberg).

Toi aussi, tu peux créer tes propres abréviations en morse. Par exemple, ISA (= impossible de sortir aujourd'hui) ou ADC (= apporte des cassettes).

LE CODE DE HAUTE MER

Au XVIIIème siècle, la marine de guerre anglaise a mis au point un système de code utilisant les drapeaux (ou «pavillons») représentés ci-contre. Ce système s'appelle Code International des Signaux et il est encore en usage dans le monde entier. A chaque grand pavillon correspond une lettre de l'alphabet. Les plus petits, appelés aussi «flammes» ou «pennants», renvoient chacun à un chiffre. Un pennant spécial est exposé lorsque le navire se prépare à émettre ou à recevoir un message. Les pavillons et les pennants sont hissés les uns à la suite des autres sur une drisse et on lit le message de haut en bas. Le pavillon le plus élevé constitue donc la première partie du message. Les signaux d'une seule lettre sont utilisés en cas d'urgence absolue. Par exemple, U = «Vous êtes en danger» ou O = «Un homme à la mer». Les signaux à deux lettres servent en cas de détresse. Ainsi NC = «J'ai besoin d'aide», AP = «Je suis échoué». Un signal à trois lettres commençant par un M annonce un sujet médical. Par exemple, MSR = «Blessure nécessitant des points de suture». Enfin, le signalement particulier d'un navire est donné par un groupe de quatre lettres.

Lors de sa mise à l'eau, chaque bâtiment reçoit un exemplaire du livre recensant la totalité de ces codes internationaux.

Tes amis et toi pouvez créer votre propre code, en utilisant des serviettes de différentes couleurs ou des vêtements (chemises, shorts...) au lieu de pavillons. Etendez-les sur une corde à linge ou agitez-les tour à tour. Ainsi une grande serviette rouge pourrait signifier «rendez-vous au square». Des serviettes plus petites ou des vêtements tels que des chaussettes pourraient indiquer l'heure : une petite serviette rouge voudrait dire «une heure», des chaussettes bleues «deux heures», etc.

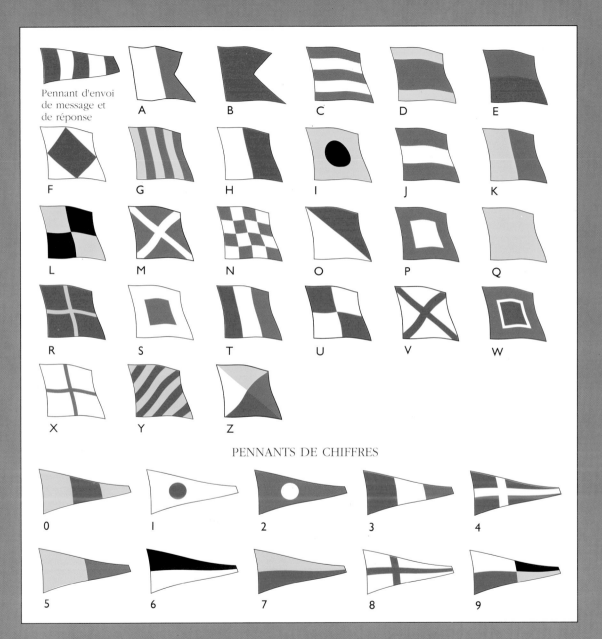

Pennant d'envoi de message et de réponse

A B C D E F G H I J K L M N O P Q R S T U V W X Y Z

PENNANTS DE CHIFFRES

0 1 2 3 4 5 6 7 8 9

LE SÉMAPHORE

Il existe un autre système international de signaux à vue (dans la marine française, on les appelle «signaux à bras»). Il s'agit du «sémaphore». Avant l'invention de la radio en effet, les marins adressaient leurs messages d'un navire à l'autre à l'aide de deux drapeaux, un dans chaque main, tenus dans diverses positions. En voici le détail, page de droite.

Tu peux toi-même envoyer des messages et, si tu n'as pas de drapeaux, emploie deux foulards. Les mêmes signaux servent aux chiffres et aux lettres. Si tu veux envoyer des chiffres, tu dois donc d'abord adresser le signal particulier «chiffre» afin que celui qui reçoit le message soit prévenu. De même, si tu fais une faute en cours de signalisation, envoie le signal «erreur» : ton correspondant saura qu'il lui faut annuler le message précédent. Et à la fin de ton message, n'oublie pas d'adresser le signal «fin». On pourra alors te répondre de la même manière.

LIRE ENTRE LES LIGNES

Si tu lis la lettre reproduite page 39, tu n'y trouveras rien d'anormal. Pourtant, il s'agit d'une autre sorte de code ouvert. En plaçant sur cette lettre la grille de la page 37, dont tu auras ôté les petits rectangles prédécoupés, tu découvriras un message secret (note que chaque ligne doit être lue dans l'ordre). Ce type de grille a été inventé au XVIème siècle par un mathématicien italien nommé Jerome Cardano. Beaucoup de diplomates de l'époque et du siècle suivant ont utilisé ce principe pour cacher des secrets d'Etat.

Pour fabriquer ta propre grille, écris une lettre ordinaire qui contiendra en différents endroits les mots de ton message secret, dans l'ordre où tu veux qu'ils apparaissent. Ensuite, place une feuille de papier calque sur ta lettre et trace des rectangles autour des mots du message secret. Découpe alors les fenêtres rectangulaires du calque avec des ciseaux et place le papier calque ainsi ajouré sur une feuille de papier épais. Dessine encore une fois les fenêtres du calque sur ce papier épais et découpe-les. Ta grille est prête.

Tu devras faire deux grilles : l'une pour toi, l'autre pour la personne à qui tu enverras la lettre. Il faut que tu lui fasses parvenir la grille quelques jours avant la lettre, pour être sûr que vous soyez les seuls à pouvoir lire le message secret, au cas où la lettre tomberait dans les mains de quelqu'un d'autre. Si la personne qui a reçu ton message veut te répondre, elle utilisera la même grille pour écrire sa lettre !

Mon cher François,

Je ne sais pas si vous vous rendez compte que
je ne vous ai pas revu depuis l'hiver dernier.
Cela fait trois mois au moins, sinon plus.
Il est vrai que nous sommes tous très occupés
et le temps passe si vite !
Je ne me rappelle même plus à quel endroit
nous avions décidé de nous rencontrer à
nouveau et à quelle époque vous aviez des chances
d'être plus libre.
Je crois qu'il est préférable de fixer très vite
la date de notre prochain rendez-vous et je
vous propose même tout de suite de nous revoir
jeudi prochain chez moi. A quelle heure ?
A vous de choisir, je suis libre toute la journée.
Cela me fera réellement très plaisir de passer
un bon moment avec vous. Téléphonez-moi donc
dès demain.

Bien cordialement à vous,
Laurent

SUPERSECRETS

L'emploi simultané de deux codes rendra ton message encore plus difficile à déchiffrer. On appellera ça le «supercodage». Par exemple, tu peux utiliser successivement l'écriture en zigzag et le carré de Polybe. Si tu écris en zigzag le message suivant : J'AI TOUS LES CODES, tu obtiendras le premier cryptogramme JIOSECDS - ATULSOE (voir page 18). Tu vas maintenant coder ce message grâce au carré de Polybe (voir page 14) et ça te donnera le cryptogramme final : 2,4 2,4 3,4 4,3 1,5 1,3 1,4 4,3 / 1,1 4,4 4,5 3,1 4,3 3,4 1,5. Si tu veux déchiffrer le cryptogramme final pour retrouver le message en clair, tu procéderas «à l'envers» en employant le carré de Polybe pour obtenir les lettres, que tu écriras ensuite en motif zigzag.

A l'aide de zigzag et du carré de Polybe, tu vas «supercoder» le message suivant (rappelle-toi qu'il est bon de barrer les chiffres et les lettres à mesure de l'avancement du codage) :

OU ALLONS-NOUS ?

Déchiffre maintenant ce message (rappelle-toi : une double barre // signifie la fin d'une phrase. Il est plus facile de déchiffrer phrase par phrase) :

3,2 4,4 3,1 4,3 1,1 2,4 4,2 1,4 3,3 4,5 1,5 1,1 2,4 1,5 / 1,5
4,3 1,5 3,5 3,5 1,5 4,3 1,1 4,3 3,3 5,1 3,1 4,3 // 5,1 1,1 1,1
1,1 1,5 / 1,1 3,1 2,2 4,2 // 3,1 2,4 4,3 3,1 1,1 1,1 3,4 4,3 2,2
1,5 / 1,1 4,3 1,5 1,1 3,1 1,3 3,3 2,4 3,3 // 3,5 4,3 3,3 3,4 1,1
5,3 4,5 4,2 4,3 / 1,1 4,5 3,2 4,4 4,5 1,1 4,4 1,5 //

Le cryptogramme suivant a été codé en employant d'abord zigzag, puis le code case-cochon (voir page 10) :

Texte en clair   DEPART DEMAIN

Zigzag   DPRDMI - EATEAN

Case-cochon   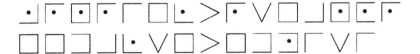

Voici deux messages qui ont été «supercodés» par la même méthode. Peux-tu les déchiffrer ?

Et si tu le veux, à toi d'utiliser des combinaisons de différentes méthodes pour créer tes propres messages «supercodés».

QUAND LES NIHILISTES FRAPPAIENT...

En Russie, au XIXème siècle, beaucoup de gens furent arrêtés en raison de leurs opinions politiques. En prison, ils étaient souvent séparés les uns des autres. Aussi avaient-ils inventé une façon de se «parler» en frappant sur les murs de leurs cellules. A chaque lettre de l'alphabet correspondait un certain nombre de coups. Ces nombres étaient déterminés à l'aide d'une grille analogue à celle du carré de Polybe (voir page 14).

Par exemple, le mot SALUT correspondant à 4,3 1,1 3,1 4,5 4,4, si tu veux envoyer ce message, tu frappes quatre fois de la main gauche puis, après une petite pause, trois fois de la main droite. Tu adresseras ainsi la lettre S. Et tu procéderas de la même façon pour les autres. N'oublie pas de marquer un petit arrêt entre chaque lettre pour que celui qui écoute ne se trompe pas.

Les prisonniers apprenaient par cœur les nombres de substitution et certains d'entre eux arrivaient à «parler» au rythme de 10 à 15 mots à la minute. D'autres, les Nihilistes, utilisaient ce chiffrage comme base d'un système plus compliqué. Le message en clair était converti en chiffres à l'aide de la grille. Ils choisissaient ensuite un mot clef à répéter, qu'ils transcrivaient également en chiffres, avant d'additionner le tout pour obtenir le message chiffré final.

Page de droite (reproduction d'une affiche russe) : l'homme gigantesque qui marche dans les rues de Moscou en brandissant un drapeau est le symbole de la révolution communiste qui gagna toute la Russie au début du siècle.

On peut par exemple employer le mot PRISON comme mot clef. Grâce à la grille, il se traduit par 3,5 4,2 2,4 4,3 3,4 3,3. Le texte en clair ATTAQUE DU PALAIS sera chiffré comme suit :

Texte en clair	A	T	T	A	Q	U	E		D	U		P	A	L	A	I	S
Texte chiffré	11	44	44	11	41	45	15		14	45		35	11	31	11	24	43
Mot clef chiffré	35	42	24	43	34	33	35		42	24		43	34	33	35	42	24
	46	86	68	54	75	78	40		56	69		78	45	64	46	66	67

(attention ! dans ce chiffrage, 5 + 5 = 0)

Tu peux essayer de chiffrer le message suivant, toujours en utilisant le mot clef PRISON :   ARRETEZ LE TSAR

Pour déchiffrer un message, écris le texte chiffré (le «cryptogramme») et au-dessous les chiffres correspondant au mot clef (tu peux encore employer le mot PRISON) :

60 84 39 94 58 48 68 85 55 58 77 46 46 74 35 85 45 47 40 85
35 42 24 43 34 33 35 42 24 43 34 33 35 42 24 43 34 33 35 42

Ensuite tu soustrais les chiffres du mot clef de ceux du cryptogramme et tu obtiens ainsi les chiffres du message d'origine : 35 42 15 51 24 15 33 43 31 15 43 13 11 32 11 42 11 14 15 43

Reporte-toi enfin à la grille de la page 14. Ces chiffres te donneront le message PREVIENS LES CAMARADES.

Essaie maintenant de déchiffrer le message suivant (en employant encore le mot clef PRISON) : 66 53 66 58 85 67 66 87 68 67 68 66 48 76 56 75 49 66 48 57

LA MACHINE À CHIFFRER DE JEFFERSON

Troisième président des Etats-Unis, Thomas Jefferson (1743-1826) fut également un grand inventeur. Avant son élection à la présidence, il avait imaginé une «roue à chiffrer» qui fonctionnait suivant le principe des cadenas à combinaison.

L'instrument d'origine comportait une série de roues enfilées sur un axe. Les roues pouvaient tourner sur l'axe indépendamment les unes des autres et se bloquer dans certaines positions. Les lettres de l'alphabet étaient inscrites en désordre sur le pourtour de chaque roue. Pour chiffrer un message, on faisait tourner les deux roues jusqu'à ce que les lettres constituant le message en langage clair soient disposées en une rangée. L'expéditeur choisissait ensuite au hasard une autre rangée de lettres et en prenait note : c'était le texte du message chiffré qu'il adressait à son destinataire. Celui qui recevait le message le lisait sur sa propre machine en faisant tourner les roues jusqu'à ce qu'une rangée fasse apparaître le message chiffré. Il lui suffisait alors de chercher la rangée donnant le texte en clair.

Si tu veux utiliser la méthode de Thomas Jefferson, il faut que tu fabriques deux machines tout à fait identiques, l'une pour toi, l'autre pour ton correspondant. Tourne la page pour savoir comment faire une machine semblable à celle qui est représentée ici. Tu auras besoin d'une canette de soda, d'une feuille de papier blanc, d'une paire de ciseaux, d'un crayon et de ruban adhésif.

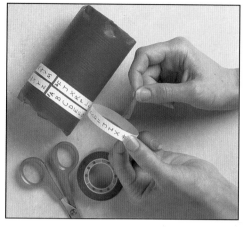

1. Découpe la feuille de papier en 10 bandelettes égales et divise chacune d'elles en 26 parties égales entre elles. Ecris un des alphabets ci-dessous sur chaque bande de façon à pouvoir le lire de haut en bas. Numérote les bandes de papier pour ne pas te tromper.

2. Assemble les deux bouts de chaque bandelette à l'aide de ruban adhésif. Tu obtiendras des anneaux dont tu entoureras la boîte dans l'ordre indiqué.

```
Bande  1 : A B C D E F G H I J K L M N O P Q R S T U V W X Y Z
Bande  2 : F J X R P L A D Z T Q N I B S U Y C H W E O K G V M
Bande  3 : Y T Q C G A L P K Z O M U V B E W N R S D F J I X H
Bande  4 : G J N Q X E U A L P T W M I O K R Z V F C Y S H B D
Bande  5 : D T J O H A Y V U R Q L B F K N W P Z C E G X S M I
Bande  6 : U C T H M D O Y N X L Q W Z I G B P F V E R S A K J
Bande  7 : K P M B L X J Y W A Z E Q V U S D N I T H G F C R O
Bande  8 : X G Z L Q C T R W N J A D I E S V B F O H M Y P U K
Bande  9 : E W I L C R J O H A T Z Q S U V F N K X G D Y M B P
Bande 10 : Q X K S U I F T L O G C P W Z B N Y R E H A M J V D
```

Recommence les opérations 1 et 2. Tu fabriqueras ainsi une deuxième boîte à chiffrer destinée à celui qui doit lire tes messages (n'oublie pas que les alphabets doivent être dans le même ordre sur chacune des boîtes). A l'aide de ta machine à chiffrer, compose le message BIEN ARRIVE. Pour cela, utilise la rangée de lettres située *au-dessus* du texte en clair. Tu obtiendras le cryptogramme suivant : ANBJHECDUR. Demande à ton ami s'il a pu le déchiffrer.

Maintenant, tu vas chiffrer les messages suivants, en lisant le cryptogramme de la rangée de lettres immédiatement *au-dessous* du texte en clair :

LES ENNEMIS
DEBARQUENT
SANS ARRET

(attention ! cette dernière ligne ne contient que 9 lettres. Complète-la avec la lettre X, sans valeur ici : ARRETX.)

Déchiffre maintenant le message ci-dessous. En raison de sa longueur, il a été divisé en trois parties à déchiffrer l'une après l'autre. Fais d'abord tourner les bandes de façon à faire apparaître le texte chiffré en rangée, puis regarde les rangées du dessus et du dessous jusqu'à ce que tu en trouves une qui ait une signification. Ce sera le texte du message en clair.

GHOZZDUFSA HDRFSEPBKL HSJNLKQDBG

(une précision, pour t'aider : les textes en clair se trouvent tous sur la troisième rangée au-dessus du cryptogramme.)

LE DISQUE À CHIFFRER

L e disque à chiffrer a été imaginé au XVème siècle par un Italien nommé Leon Battista Alberti. Cette invention lui a valu le nom de «père de la cryptologie occidentale». Alberti n'ignorait pas qu'un message secret est plus difficile à décoder s'il utilise plusieurs alphabets. Il a donc conçu un disque permettant de remplacer chaque lettre de l'alphabet normal par une autre. Depuis, ce principe a été adapté sous des formes variées, telles que la glissière ou la table à chiffrer.

Pour fabriquer ton disque à chiffrer, détache, de la feuille insérée dans ce livre, deux disques, un petit et un grand. Place le premier sur le second et centre-les sur la pointe d'un crayon pour qu'ils puissent tourner. Le grand disque sera utilisé pour l'alphabet normal (en «clair»), le petit pour l'alphabet chiffré.

Ensuite, il te faut un mot clef. Prenons, par exemple, le mot CITRON. Pour coder le message BRULE LES PAPIERS, écris d'abord le mot clef de façon répétée sous le message, comme ceci :

```
B R U L E    L E S    P A P I E R S
C I T R O    N C I    T R O N C I T
```

Chaque lettre du mot clef t'indique quel alphabet tu dois utiliser pour coder la lettre du message en clair qui se trouve au-dessus. Pour la première lettre de ce message, B, tu vas donc te servir de l'alphabet C. Pour l'obtenir, fais tourner les disques jusqu'à ce que le C du petit disque se trouve juste au-dessous du A du grand disque. Cherche ensuite la lettre B sur le grand disque et note la lettre chiffrée située juste au-dessous sur le petit disque : D.

Pour coder la lettre suivante du message, R, tu utiliseras l'alphabet I. Place donc le I du petit disque sur le A du grand disque, cherche alors la lettre R sur ce disque et note la lettre chiffrée qui se trouve juste au-dessous sur le petit disque : Z. Continue comme cela jusqu'à la fin. Tu obtiendras le message chiffré : DZNCS YGA IRDVGZL

Si c'est toi qui as reçu ce message chiffré, il faut que tu connaisses le mot clef pour le lire (ici, CITRON), et tu vas suivre le chemin inverse. Ecris CITRON de façon répétée sous le message. Pour déchiffrer la première lettre, D, utilise l'alphabet C en plaçant cette lettre juste au-dessous du A de l'alphabet normal. Cherche ensuite la lettre D sur le petit disque et note la lettre située juste au-dessus, sur le grand disque : B. C'est la première lettre du message en clair. Il ne te reste plus qu'à continuer jusqu'à la fin.

En employant toujours le mot clef CITRON, utilise ton disque pour coder les messages suivants :

TON AGENT EST SUIVI
CACHE-TOI VITE

Avec le mot clef PERSIL, déchiffre maintenant ces deux messages :

HQZLP ET WLJDPXPCW
CI IWDTTRJ HID

Pour adresser un message chiffré à ton correspondant, envoie-lui d'abord les deux autres disques insérés dans le livre, puis ton message caché et le mot clef qui t'a servi à le chiffrer.

LA GRILLE TOURNANTE

Pendant la Première Guerre mondiale, on a utilisé successivement des «grilles tournantes» pour modifier l'ordre des lettres des messages secrets. Ces grilles tournantes sont des carrés, comme celui qui est représenté ici. Elles peuvent avoir des dimensions diverses : 25, 36, 49, 64, 81 ou même 100 cases. Pendant la guerre, ces formats recevaient un nom de code, par exemple «Anna» pour une grille de 25 cases, «Franz» pour une de 100. Le destinataire du message savait ainsi quelle grille employer pour le déchiffrer.

Pour fabriquer une grille tournante de 36 cases, dessine un carré de 12 cm de côté, divise-le en 36 cases et découpe celles qui correspondent aux carrés blancs du dessin de cette page. Numérote les côtés de la grille de 1 à 4 comme sur le modèle. Très important : quand on fait tourner la grille dans chacune des quatre positions, aucun des carrés apparaissant sous la grille ne doit être «ouvert» au même endroit plus d'une fois.

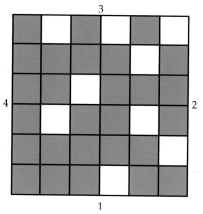

Tu vas maintenant choisir un message. Pour commencer, essayons celui-ci : BRUNO PARTI HIER, PERSONNE NE SAURA, SALUT. Les messages doivent avoir exactement le même nombre de lettres qu'il y a de cases dans la grille. Si le message a une taille insuffisante, on doit lui ajouter des lettres sans valeur pour le compléter. Dans le cas présent, il n'y a que 34 lettres. Il faudra donc en ajouter 2, sans valeur ici (en fin de mot, pas au milieu). Le message deviendra BRUNO PARTI HIERX, PERSONNE NE SAURA, SALUTX.

Place maintenant ta grille sur une feuille de papier et trace au crayon tout autour, pour pouvoir la mettre facilement en position. Dispose d'abord la grille avec le côté 1 en bas. Commence à écrire le message dans les cases ajourées en allant de gauche à droite et de haut en bas, comme si tu écrivais normalement. Quand tu auras rempli toutes les cases dans cette première position de la grille, fais-la tourner de 90° vers la droite pour que le côté 2 se retrouve en bas. Continue à écrire le message dans les cases libres. Tourne ensuite la grille sur les côtés 3 puis 4 pour terminer le message. Quand tu en auras fini, tu obtiendras le message reproduit à droite.

U	B	S	R	R	U
O	A	I	S	N	H
A	N	O	I	N	L
E	P	U	E	A	R
T	N	X	X	P	R
E	E	S	T	A	R

Pour qu'il soit encore plus mystérieux, tu pourras écrire ton message comme ceci : UBSRRUOAISNHANOINLEPUEARTNXXPREESTAR. Seul celui ou celle qui possède exactement la même grille que toi sera capable de le déchiffrer. Bien sûr, il vaudra mieux lui expédier la grille séparément. Il lui suffira alors de grouper les lettres par six en carré pour lire le message en plaçant successivement la grille dans les quatre positions.

Essaye maintenant de chiffrer cette phrase :
CACHE-TOI DANS LA COUR ET ATTENDS MON SIGNAL

Puis déchiffre celle-ci :
HLIAECEDAULCCREHEHEEILSEEADNETNRICCR

LA MACHINE ENIGMA

P endant la Seconde Guerre mondiale, on a utilisé un certain nombre de machines pour chiffrer mécaniquement les messages. Elles étaient très commodes, car elles permettaient d'éviter les nombreuses erreurs du chiffrage manuel, le seul utilisé pendant la guerre de 1914-1918. La machine Enigma que l'on voit à droite a été employée par l'armée allemande. Elle ressemblait à une machine à écrire avec deux claviers, l'un pour le texte en clair, l'autre pour le texte chiffré. Le clavier du texte clair était connecté à des «rotors» ou roues à chiffrer situées à l'intérieur de la machine et celles-ci étaient à leur tour connectées au clavier chiffreur. Quand on appuyait sur une touche du clavier «clair», les rotors codaient la lettre et la touche correspondante du clavier chiffré s'éclairait. Si, par exemple, la lettre A était chiffrée par un P, le fait d'appuyer sur la touche A du clavier «clair» faisait allumer la lettre P sur le clavier chiffré. Il suffisait donc de noter les lettres du message chiffré et de l'envoyer. A la réception de ce message, on le tapait sur le clavier chiffré et les lettres correspondantes s'allumaient sur le clavier «clair», restituant ainsi le message original. Les cryptogrammes d'Enigma étaient réputés indéchiffrables mais, après des mois de travail, une équipe de mathématiciens anglais parvint à les décoder.

Pour fabriquer deux machines Enigma simples, l'une pour toi et l'autre pour ton correspondant, tu auras besoin de deux canettes métalliques, de quatre bandes de papier, d'une paire de ciseaux et d'un crayon. Si tu as déjà fabriqué la machine de Thomas Jefferson (page 45), tu n'auras qu'à supprimer toutes les bandes sauf la première (celle où l'alphabet est en ordre) et la suivante (bandes 1 et 2). Sinon, reporte-toi aux indications de la page 46 en ne fabriquant que les deux premières bandes. Fixe solidement la bande 1 sur la canette pour qu'elle ne bouge plus, mais la deuxième doit pouvoir tourner. La bande 1 est celle du texte en clair, la bande 2 celle du texte chiffré. Pour employer la machine, choisis d'abord deux lettres clefs, une sur chaque bande, et place-les l'une à côté de l'autre. Tu peux, par exemple, chiffrer le mot ENIGMA en utilisant les lettres clefs KD :

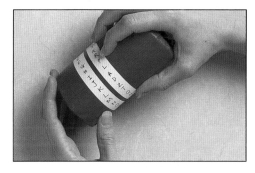

1. Trouve la lettre K sur la bande 1 et fais tourner la bande 2 pour amener le D à côté du K.

2. Pour chiffrer la lettre E, repère-la sur la bande 1 et note la lettre correspondante de la bande 2 : c'est un J.

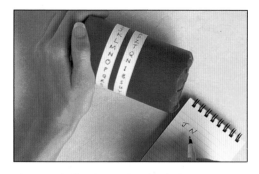

3. Fais tourner la bande 2 d'un espace vers l'avant pour que le K soit en face du Z.

4. Pour chiffrer le N, cherche la lettre N sur la bande 1 et note la lettre correspondante sur la bande 2. C'est aussi un N. Continue jusqu'à la fin du mot, en faisant tourner la bande 2 d'un espace supplémentaire vers l'avant pour chacune des lettres en clair.

Le mot chiffré se lira JNDABX. Tu vas maintenant chiffrer le message suivant en employant les lettres clefs AQ :

TON SECRET EST BIEN GARDE

Pour déchiffrer un message, il faut que tu en connaisses les lettres clefs. Fais tourner alors la bande 2 jusqu'à ce que ces deux lettres soient alignées et cherche ensuite la première lettre du cryptogramme sur cette bande. Trouve la lettre correspondante sur la bande du texte en clair (bande 1) et note-la. Déplace ensuite la bande chiffrée (bande 2) d'un espace de lettre vers l'avant, trouve la lettre chiffrée suivante et note la lettre correspondante du texte en clair. Continue ainsi jusqu'à la fin du message.

Et déchiffre celui-ci en utilisant les lettres clefs JR :

IMYZ HI ALUNZ EQJJ ISBWOWEDOT OVAK

GLOSSAIRE

Chiffre : désigne le procédé ainsi que l'ensemble des lettres, des nombres ou des signes employés pour remplacer les lettres du message que l'on veut dissimuler. Un chiffre qui mélange l'ordre des lettres est appelé «chiffre de transposition». Un chiffre qui remplace les lettres par d'autres lettres, par des nombres ou des symboles est appelé «chiffre de substitution».

Chiffrer : action de transformer un message normal en message chiffré en utilisant un chiffre ou un code secret.

Clef : comme la clef d'une porte. Un mot clef, une phrase clef, un nombre clef peuvent être employés pour dissimuler un message ou au contraire pour le remettre en clair.

Code : système de mots, de nombres ou de signes remplaçant des mots entiers.

Cryptographie : terme formé à partir des mots grecs «krypton», qui signifie «caché», et «graphos», qui veut dire «écrire». C'est donc toute méthode permettant de transformer le message d'origine en le codant ou en le chiffrant. Un message chiffré est également appelé «cryptogramme».

Déchiffrer / Décoder : transformer un message chiffré pour retrouver le message original en langage clair.

Nul : ce terme désigne les lettres sans signification que l'on utilise dans certains types de codes. Ce sont en général des lettres peu fréquentes, comme X ou Z. On les emploie soit pour compléter le nombre nécessaire de lettres dans certains systèmes de chiffre, soit pour tromper ceux qui essaient de déchiffrer le message.

Texte en clair : message original que l'on veut camoufler en le chiffrant. On peut donc le lire normalement puisqu'il utilise les lettres de l'alphabet dans l'ordre habituel.

SOLUTIONS

Page 11

⌞□∨ ⌞⌐⌞⌞□>∨ ∨□□>
⌟ ⌞•⌟ ⌞⌟□⌐<□

⌟>>□□⌝⌞•□∨ >□∨
□⌐ ⌝⌐•□∨

PREVENEZ LES COPAINS.
LE PAQUET ARRIVE CE SOIR

Page 13
JE SUIS ARRIVE HIER

Page 15
1,1 4,3 / 4,4 4,5 / 1,4 1,5 4,3 /
3,3 3,4 4,5 5,1 1,5 3,1 3,1 1,5 4,3

NAVIRES ENNEMIS EN VUE.
PREPAREZ-VOUS AU COMBAT

Page 16
FHVDU VH GLULJH YHUV OH
VHQDW

CACHE TON POIGNARD DANS TA
TOGE MAIS PREPARE-TOI A FRAPPER
QUAND JE DONNERAI LE SIGNAL

Page 19
ARVRIAEI - RIEASMD
RJISOSREUI - EONMIULQA

PORTE DES VETEMENTS SOMBRES

LES PLANS SONT DANS LE CAGEOT
D'ORANGES

Page 20
CE LIVRE SUR LES CODES SECRETS
EST DECIDEMENT TRES ORIGINAL

Page 23
JAVE NAVE SAVERAVAI PAVA LAVA
DAVEMAVAIN JAVE PAVARS AVEN
VAVACAVANCES

RENDEZ-VOUS AU COIN DE LA RUE A
TROIS HEURES ET DEMIE, NE SOIS
PAS EN RETARD

Page 31
___ ..- .- .-.. .-..
--- -. ... -. ---
..- ...

DETRUIS LES DOCUMENTS

Page 40
OALNNU - ULOSOS
3,4 1,1 3,1 3,3 3,3 4,5 / 4,5 3,1
3,4 4,3 3,4 4,3

MTLSAIRDNUEVLS - ESEPPESASNAIE
VAAAE - ALGR
LISLAAOSGE - ASEALCNIN
PSNOAXURS - AUMTUATE
METS LES PAPIERS DANS UNE VALISE
VA A LA GARE
LAISSE-LA A LA CONSIGNE
PAS UN MOT AUX AUTRES

Page 41

JRNRIELTRSEANOR - EEDALSETEDMISI
JE RENDRAI LES LETTRES DEMAIN
SOIR

LTCEETAHSULTLPOE -
EIKTSCCEOSEEEHN
LE TICKET EST CACHE SOUS LE
TELEPHONE

Page 44

46 84 66 58 78 48 80 73 39 87
77 44 77

LA REVOLUTION COMMENCE

Page 47

MODUWXQYLU
EOELQWSSKL
TDRHYSOSZK

DUPONT EST REPERE, PREVIENS
DURANDT

Page 49

VWG RURPB XJH FWQOZ
EIVYS GQQ OZHR

SMITH TE SURVEILLE
NE REVIENS PAS

Page 51

MCEAOCTNASHNIAESTGLTNTOAA
ECLOINUDDSR

LA CLE EST CACHEE DERRIERE LA
NICHE DU CHIEN

Page 54

RMM LHCDON GIS GLXI AJWAZ

SEUL UN GENIE PEUT DECHIFFRER
CELA

Remerciements

Bridgeman Art Library, p. 17; National Portrait Gallery, Smithsonian Institution / Art Resource, p. 20; William L. Clements Library, University of Michigan, Ann Arbor, p. 22; Bristish Museum, London, p. 24 et gardes; Museum of the City of New York, p. 28; Novosti, p. 43; Imperial War Museum, London, p. 52.
Illustrations des pp. 25, 26, 27 et 50 par King & King; des pp. 33 et 35 par Tony Garrett. Photographies des pp. 9, 45, 46, 53 et 54 par Visuel 7.